EXPLORANDO
LAS PROFUNDIDADES

Explora • Descubre • Aprende

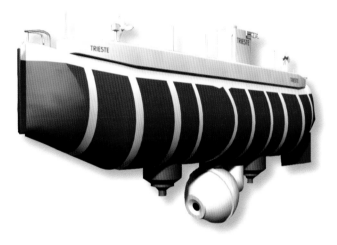

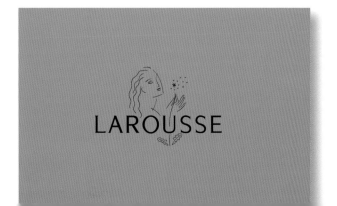

LAROUSSE

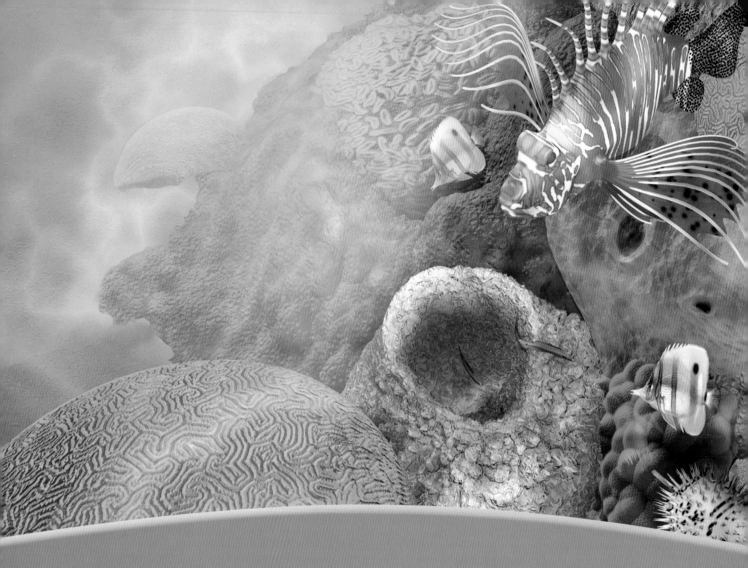

© 2011 Discovery Communications, LLC. **Discovery Education™** y el logo de **Discovery Education** son marcas registradas de Discovery Communications, LLC, usadas bajo licencia. Todos los derechos reservados.

Concebido y publicado originalmente por Weldon Owen PTY Ltd 59–61 Victoria Street, McMahons Point Sydney NSW 2060, Australia

Copyright © 2011 Weldon Owen Pty Ltd

D.R. © MMXI Ediciones Larousse, S.A. de C.V. Renacimiento 180, Col. San Juan Tlihuaca, Azcapotzalco, C.P. 02400, México, D.F.

Edición original
Dirección general Kay Scarlett
Dirección creativa Sue Burk
Publicación Helen Bateman
Edición Madeleine Jennings
Edición de textos Barbara McClenahan, Bronwyn Sweeney, Shan Wolody
Asistencia editorial Natalie Ryan
Dirección de diseño Michelle Cutler, Kathryn Morgan
Diseño Karen Sagovac
Dirección de imágenes Trucie Henderson
Iconografía Tracey Gibson
Consultor John O'Byrne

Edición en español
Dirección editorial Tomás García Cerezo
Gerencia editorial Jorge Ramírez Chávez
Traducción Marianela Santoveña Rodríguez
Formación Itzel Ramírez Osorno
Edición técnica Graciela Iniestra Ramírez, Susana Cardoso Tinoco, Roberto Gómez Martínez
Diseño de portada Pixel Arte Gráfico

Primera edición en español, abril de 2011

ISBN: 978-1-74252-190-9 (Weldon Owen)
ISBN: 978-607-21-0333-7 (Ediciones Larousse)

Impreso en China - *Printed in China*

EXPLORANDO
LAS PROFUNDIDADES

Explora • Descubre • Aprende

Robert Sheehan

Contenido

El océano

La Tierra se ve azul desde el espacio porque el océano es la extensión más grande del planeta. El agua cubre más del 70 por ciento de la superficie terrestre, y casi toda es agua salada de los océanos.

Las criaturas más grandes, y quizá las más extrañas, viven en el océano. Existen cientos de miles de especies conocidas que viven cerca o dentro del fondo marino, y existen más especies aguardando ser descubiertas. La superficie de las aguas oceánicas absorbe el calor del Sol e influye sobre el clima en la Tierra. Seres microscópicos de los océanos utilizan la energía solar para producir oxígeno. El océano fue quizá la cuna de la vida en la Tierra, y ahora la preserva.

Corales, vida a todo color
Los corales son pequeños animales que viven en colonias, casi siempre en aguas cálidas. Comen microorganismos y casi todos necesitan luz solar para crecer. Secretan calcio para formar esqueletos coloridos. También dan techo a otros animales.

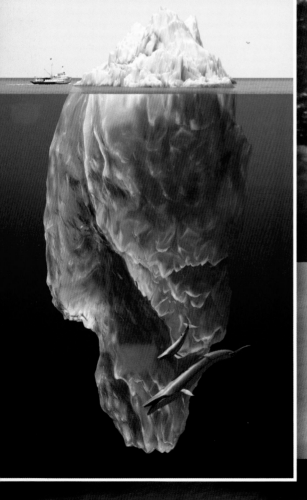

Icebergs flotantes
Los icebergs de agua dulce, hechos de nieve comprimida, se desprenden de las plataformas de hielo de regiones polares y su localización se monitorea en todo el mundo. Su densidad es menor a la del agua marina, así que cerca del 10 por ciento de cada iceberg flota sobre el nivel del agua. La superficie que sobresale puede alcanzar los 2590 km^2 de área.

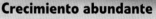

Crecimiento abundante

La luz del sol puede atravesar los 200 m más superficiales de las aguas oceánicas, lo que permite la fotosíntesis. Este proceso posibilita el crecimiento abundante de plantas marinas y animales. El diminuto fitoplancton se multiplica, lo mismo que peces de varios tamaños, mamíferos de sangre caliente y muchas otras especies.

Atolón de coral

Cerca del 90 por ciento de la actividad volcánica ocurre en el océano. Muchos volcanes oceánicos se hunden lentamente conforme se hacen más viejos. El coral crece sobre las orillas de esa tierra que se hunde. Tras cientos de miles de años, un arrecife de coral en forma de anillo, es decir, un atolón, rodea una laguna central poco profunda.

La fuerza de los océanos

Las aguas de los océanos se mueven constantemente, alteradas por la presión, la temperatura, la densidad y la gravedad. Cada variación crea corrientes ascendentes o descendentes. La energía que contienen estas enormes masas en movimiento tiene potencial tanto constructivo como destructivo. El movimiento constante de las corrientes y las olas del océano es una demostración de su fuerza. Investigaciones científicas en curso buscan formas de convertir a bajo costo más de esta fuerza en energía eléctrica.

Los movimientos de la corteza terrestre bajo el agua, así como los sistemas de baja presión atmosférica, pueden hacer que el agua del mar inunde las costas. El *tsunami* de 2004 en Asia y el huracán Katrina en EUA, en 2005, son ejemplos recientes de la fuerza destructora del océano.

La formación de un *tsunami*

La corteza exterior y rígida de la Tierra se divide en placas que se mueven lentamente y se empujan muy fuerte entre sí. Si un movimiento súbito bajo el agua causa una alteración importante en los bordes de las placas, una marejada irradiará desde ese lugar.

Ondas expansivas

Los trastornos súbitos del fondo marino generan poderosas ondas expansivas, pero causan cambios relativamente menores en las aguas profundas del océano. Los marineros difícilmente notan la marejada, ya que las ondas expansivas se mueven debajo de la superficie.

Más cerca de la costa

Al aproximarse a la costa con una velocidad menor, la marejada se convierte en olas de mayor altura y frecuencia. El *tsunami* aparece como una serie de crestas altas y depresiones profundas.

La fricción del fondo marino en la base de la ola frena su movimiento. Cuando la pared de una ola se empina demasiado, la cresta cae hacia delante y puede enrollarse en una bolsa de aire, cayendo con una fuerza considerable.

Generación de energía

El océano es una valiosa fuente de energía renovable para al menos tres tipos de generación de electricidad. Existen generadores que convierten el movimiento de las corrientes y las olas, es decir, la energía cinética, en energía eléctrica. Los generadores térmicos trabajan con el calor de la superficie de las aguas oceánicas.

La zona iluminada

El proceso de fotosíntesis ocurre en todo el planeta Tierra, incluido el 2 por ciento más superficial del océano: la zona iluminada. Plantas microscópicas llamadas fitoplancton convierten la energía solar en energía química bajo la forma de glucosa. Este proceso utiliza dióxido de carbono y produce oxígeno. El fitoplancton sano despide un leve brillo rojo que puede ser visto en fotografías satelitales. Así, todas las zonas con un crecimiento deficiente de fitoplancton pueden ser identificadas e investigadas.

Fitoplancton
Son los miembros más pequeños de la cadena alimenticia. La mayoría son algas unicelulares necesarias para el bienestar de todo el océano y requieren de las corrientes ascendentes que les proveen nutrientes minerales del fondo marino.

Ballena azul
Sus cerdas o barbas en forma de peine, ubicadas en su boca, filtran el plancton que flota en el agua del mar.

Dorado
Este pez es un platillo popular entre los humanos.

Zooplancton
Son los animales marinos más pequeños y viajan con las corrientes oceánicas. Entre ellos están los krill, diminutos crustáceos que son una fuente importante de alimento para muchos peces y mamíferos, incluidas algunas ballenas.

La vida en la zona iluminada

Peces y mamíferos marinos de diversos tamaños prosperan en la zona iluminada. Los humanos son los mayores predadores de estos animales. La sobrepesca comercial y la captura no intencional de mamíferos marinos en enormes redes de arrastre han puesto en peligro a muchas especies.

Pesca
Los humanos pescan para comer; pero para evitar la sobrepesca, hay que monitorear la cantidad.

CAPAS OCEÁNICAS

1 Zona iluminada
La luz azul y la verde alcanzan mayor profundidad en el agua marina. Sólo la luz azul llega al fondo de la zona iluminada, a unos 200 m de profundidad.

2 Zona de penumbra
Un poco de luz solar se filtra a esta zona, pero no la suficiente como para que crezcan plantas.

3 Zona oscura
Entre los 1 000 y 3 000 m de profundidad se encuentra la zona oscura. Algunas criaturas que la habitan ocasionalmente pueden producir luz mediante bioluminiscencia.

4 Zona abisal
Es la capa inferior, casi congelada y totalmente oscura del océano.

Atún aleta azul
Nada en cardúmenes y come calamar y otros peces pequeños.

Mola
Este pez óseo nada cerca de la superficie y se nutre de plancton.

Aguas profundas

L as aguas océanicas cubren cerca del 65 por ciento de la superficie terrestre, con profundidad mayor a los 200 m. Hay poca luz y no viven las plantas. La profundidad promedio es de cerca de 1200 m.

Son regiones oscuras y frías, difíciles para realizar investigaciones científicas y más para vivir. A una profundidad de 1000 m, la presión del agua es unas 100 veces mayor que a nivel del mar. Los peces que viven ahí tienen esqueletos de huesos duros y en su mayoría son ciegos. Algunos son bioluminiscentes: tienen órganos que brillan para atraer a sus presas. Otros cazan con un agudo sentido del olfato y el tacto.

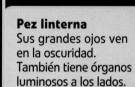

Pez linterna
Sus grandes ojos ven en la oscuridad. También tiene órganos luminosos a los lados.

Cola de rata
Este pez se llama así por su larga cola. Tiene una gran boca y grandes ojos.

Cola de rata azul
Conocido como merluza hoki, tiene un cuerpo largo y oye muy bien.

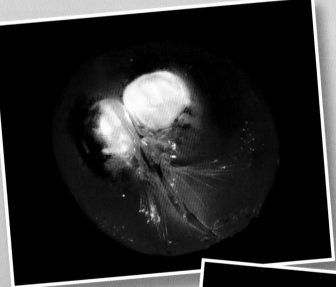

Ostrácodo gigante
Este crustáceo mide poco más de 25 mm. Los ostrácodos probablemente usan su bioluminiscencia como parte de su apareamiento.

Víbora marina
Un ejemplo típico de peces de las profundidades: pequeño, de hasta unos 30 cm de largo, y con un esqueleto rígido. Agita un anzuelo bioluminiscente para atrapar a su presa con sus largos dientes.

Anzuelo luminoso
La luz en el extremo de la aleta dorsal del rape se agita para atraer a su presa.

¿Sabías que...?

También existen arrecifes de coral en aguas profundas y oscuras. Crecen lentamente y pueden vivir más de 1 000 años. Sus esqueletos rígidos nos dan información sobre las condiciones climáticas del pasado.

Macho incluido
El pequeño rape macho vive adosado al costado de la hembra.

El rape
Con sus dientes como colmillos, es uno de los peces más raros de las aguas profundas.

Pez trípode
Tiene cola y aletas largas que le permiten pararse sobre el fondo oceánico.

Subir con cuidado

Las especies de aguas profundas pueden morir si son capturadas y llevadas demasiado rápido desde las profundidades con altas presiones a la superficie del océano. Los científicos han diseñado una trampa presurizada para estudiar a estos peces en la superficie del océano a una presión alta o que se reduce gradualmente.

Pepino de mar
Estas criaturas se han adaptado a la oscuridad y no tienen ojos. Lenta y aleatoriamente tamizan los sedimentos del fondo marino, buscando pequeñas algas y otros restos de vida marina que se hunden hasta el piso.

El fondo marino

Las formaciones de la corteza terrestre bajo el océano no son distintas de las formaciones continentales. Hay planicies, pendientes, altas cordilleras y profundos valles conocidos como fosas. Las islas han surgido del océano. Grandes superficies de tierra que alguna vez estuvo seca forman ahora las plataformas continentales.

Las dorsales oceánicas se conectan en una cordillera submarina continua que circunda el mundo. Las planicies se extienden a profundidades de entre 1 800 y 5 200 m, desde las dorsales hasta los taludes continentales.

Cuencas marinas

Están limitadas por las suaves pendientes de los taludes continentales y su suelo son las planicies abisales. Desde las planicies se alzan volcanes cónicos, montañas y mesetas submarinas, que antes estuvieron sobre el nivel del mar.

Plataforma continental

Talud continental

Boya de carga y buque petrolero

Reservas de crudo

Bajo las plataformas continentales suele haber petróleo. Material orgánico vegetal y animal puede quedar enterrado y atrapado ahí durante millones de años. La presión y la temperatura en aumento convierten dicho material descompuesto en combustible fósil: petróleo crudo.

Esquisto y roca porosa

Roca densa impermeable

Mezcla de agua y petróleo en bolsas de roca porosa

Roca no porosa

GAS NATURAL

Enormes reservas de gas natural, sobre todo metano, se hallan en los sedimentos del fondo marino. La filtración natural del gas atrapado genera burbujas. El gas suele encontrarse en estructuras sólidas cristalinas llamadas hidratos de metano. Los científicos investigan las propiedades y posibles usos de estos hidratos.

Burbujas de gas metano

Las montañas volcánicas de Hawai son consideradas las más altas de la Tierra. Desde el fondo marino, su altura supera los 9 450 m.

Meseta submarina

Planicie abisal

Montaña submarina

Dorsal oceánica

Fosa oceánica
Esta formación del fondo marino constituye la superficie más baja de la corteza terrestre. Se forma en los límites de las placas tectónicas, cuando una de éstas resbala bajo otra de menor densidad y arrastra el borde hacia abajo.

Alteraciones del fondo marino

El fondo marino es la parte de la corteza terrestre más cercana al interior caliente y semiderretido de la Tierra. La actividad volcánica moldea los contornos del fondo marino. Ahí donde la corteza es débil, brota magma supercaliente a presión. Esto puede ocurrir en un solo punto, como un cono volcánico, o a lo largo de fisuras de miles de kilómetros de largo.

El movimiento continuo de las placas tectónicas define algunas características del fondo marino. Se mueven sólo unos centímetros al año, pero si las placas se atoran y luego resbalan puede haber alteraciones violentas.

Terrazas
Son escalones que se forman en las paredes de los valles de las dorsales.

Borde convergente
Cuando las placas chocan y se da una subducción, se generan fosas y actividad volcánica.

Borde divergente
El manto marino se levanta y luego se enfría para formar cadenas montañosas oceánicas.

Placas tectónicas
El calor del núcleo terrestre sube hacia la superficie por convección, un movimiento ascendente de las rocas calientes del manto similar al movimiento del agua que hierve. Esto provoca el movimiento de las placas tectónicas en la superficie. Existen tres tipos generales de movimientos en los bordes de las placas tectónicas.

Borde transformante
Las placas que se deslizan pueden causar graves movimientos sísmicos al chocar.

FUENTE HIDROTERMAL

El agua marina fría cae en los respiraderos y se calienta. Los minerales se disuelven en el agua hirviente a presión. El enfriamiento súbito de este fluido conforme la chimenea lo empuja de vuelta hace que los minerales disueltos formen pequeños granos de color oscuro. Los componentes químicos del sulfuro, el carbón y el hidrógeno permiten que las bacterias se reproduzcan, dando inicio a una cadena alimenticia que preserva una gran variedad de vida en la oscuridad.

Minerales ricos en energía son liberados.

El agua fría se filtra en las grietas.

El agua hirviente se evapora.

Lava almohadillada
Conforme la lava que fluye se enfría, forma masas de roca redondeadas.

Exploración
Se usan pequeños submarinos tripulados y vehículos operados a distancia (VODs).

Fisura hirviente
Las fisuras son largas, pero no muy anchas. Expulsan lava de forma moderada.

Actividad volcánica

Las erupciones de lava por las fisuras del fondo oceánico sólo ocurren ocasionalmente, pero las fuentes hidrotermales pueden permanecer activas durante décadas e incluso siglos.

Polución oceánica

L a mayoría de las veces, podemos ver evidencia de contaminación de las vastas aguas oceánicas a lo largo de las costas. Este daño ambiental sobre la línea costera suele ser resultado de la actividad humana y de vertidos de petróleo en el mar.

Otras formas de polución pueden pasar casi inadvertidas. Por ejemplo, el océano absorbe una mayor cantidad de dióxido de carbono de la atmósfera y se vuelve más ácido. La acidificación frena el ritmo de crecimiento del coral, que alberga a muchos organismos marinos.

Algas verdiazules
El florecimiento de bacterias tóxicas o fitoplancton puede contaminar grandes áreas del océano y dañar la mayoría de los organismos. Otro tóxico, el mucílago marino aumenta conforme los océanos se calientan. Éste contiene material orgánico descompuesto, bacterias y virus.

2 Plástico en el mar
El plástico ligero recorre largas distancias en las rápidas corrientes de la superficie. La Gran Mancha de Basura del océano Pacífico, que circula en el sentido de las manecillas al norte de dicho océano, consiste principalmente de desechos plásticos que flotan sobre o debajo de la superficie.

1 Plástico en la playa
El plástico, fabricado a menudo con aditivos tóxicos, tarda hasta 400 años en descomponerse en el ambiente. La basura de plástico llega fácilmente a las playas y al océano arrastrada por el sistema de alcantarillado.

4 Humanos que comen pescado

Los químicos tóxicos entran en los tejidos de peces y otros animales marinos. Hoy, los científicos estudian cómo efectan a los animales que ocupan puestos más altos en la cadena alimenticia, particularmente los humanos.

3 Plástico ingerido por peces y aves

El plástico se desintegra hasta el nivel microscópico del zooplancton y entra en la cadena alimenticia. Algunas piezas quedan suspendidas en el agua o se hunden hasta el fondo y contaminan los sedimentos. Los trozos más grandes pueden bloquear el sistema digestivo de los animales marinos.

Vertido de petróleo

La contaminación de las costas por vertidos de petróleo siempre es noticia. Desafortunadamente las fotografías aéreas de plataformas petroleras en llamas o de buques varados son familiares. Las zonas más dañadas son las costas y los estuarios, así como las aves y animales marinos locales.

El clima y los océanos

Cerca del 97 por ciento del agua del mundo está contenida en el océano. Como parte del ciclo del agua en la Tierra, una porción de esa agua se evapora, proporcionando casi toda la lluvia. La evaporación se debe al calor del Sol. Este calor también es intercambiado entre el océano y la atmósfera terrestre, lo que controla la circulación atmosférica. Los vientos, a su vez, impulsan las corrientes superficiales, llevando agua y aire más calientes de los trópicos en el ecuador a los polos.

Los huracanes y los ciclones tropicales son sistemas de baja presión atmosférica que se alimentan del calor almacenado en los océanos tropicales.

AMÉRICA DEL NORTE

AMÉR DEL S

Los efectos de El Niño y La Niña

El Niño es parte de un patrón climático en el que las aguas de la superficie del océano Pacífico se tornan más calientes de lo normal. Esto genera, por ejemplo, sequías. La Niña es la fase fría de este patrón, y a menudo produce nevadas inusuales.

Temporada de El Niño
diciembre-febrero

Temporada de La Niña
diciembre-febrero

CLAVE

Seco y cálido	Húmedo
Cálido	Húmedo y frío
Seco	Frío
Húmedo y cálido	Seco y frío

EUROPA

ASIA

ÁFRICA

AUSTRALIA

ANTÁRTIDA

TEMPERATURA DEL AGUA

- Más de 30 °C
- 25-30 °C
- 20-25 °C
- 15-20 °C
- 10-15 °C
- 5-10 °C
- 5 °C
- • • Límite de la placa de hielo en verano
- ■ ■ Límite de la placa de hielo en invierno
- → Corriente cálida
- → Corriente fría

Corrientes y vórtices

Las corrientes del 10 por ciento de las aguas oceánicas más superficiales efectan el clima. Las causas de las corrientes y los vórtices (o corrientes circulares) son la temperatura y densidad del agua, la presión y temperatura atmosférica, la dirección y fuerza del viento, la gravedad, la ubicación de los continentes y la rotación de la Tierra sobre su eje.

Vórtice del Atlántico norte

Vórtice del Atlántico sur

Formación de vórtices

Los vórtices del Atlántico norte y del Atlántico sur son dos de los cinco vórtices más grandes que existen. El flujo natural de las corrientes lejos del ecuador se ve afectado por la rotación de la Tierra. Esto se conoce como el efecto Coriolis. En el hemisferio norte las corrientes circulares giran en el sentido de las manecillas del reloj; al sur, la rotación es en sentido inverso.

El cambio climático y los océanos

El océano absorbe directamente gran parte del calor de la atmósfera, que va en aumento, y juega un papel vital en el cambio climático. Además, absorbe cantidades cada vez mayores del gas de efecto invernadero conocido como dióxido de carbono. Las consecuencias de un océano más caliente y más ácido son monitoreadas de cerca y se ha visto que resultan dañinas para la vida marina en general. Ahora los científicos investigan métodos para frenar la acidificación.

1 Coral saludable

2 Coral blanqueado

3 Coral muerto

El blanqueamiento del coral
Las temperaturas cada vez más altas del agua marina hacen que las pequeñas algas de colores o *zooxanthellae*, que viven en los pólipos del coral, disminuyan y luego pierdan su color. Esto ocasiona que sólo se pueda ver el esqueleto de calcita.

MAYOR ACIDEZ

Los crustáceos son miembros de un grupo de organismos calcificadores. Sus conchas duras de carbonato de calcio, que protegen sus cuerpos, requieren agua ligeramente alcalina para crecer. Si absorbe más dióxido de carbono, el agua se vuelve más ácida. Esto resulta en conchas más débiles y delgadas, lo que lleva a un menor número de crustáceos.

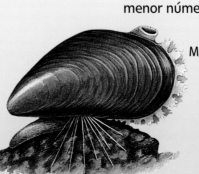

Almeja

Mejillón

Caracol marino

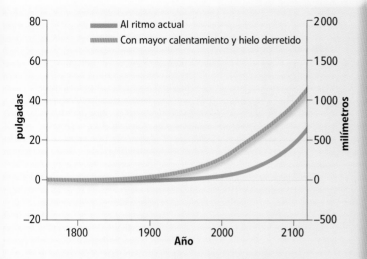

El aumento del nivel del mar en el futuro

El incremento de la temperatura expandirá el agua y subirá el nivel del mar. Un aumento sostenido de la temperatura global ocasionará que más glaciares y capas de hielo alrededor del polo Norte y la Antártida se derritan, y que esa agua fluya hacia el océano.

Pez hacha

El calentamiento global afecta la zona superficial del agua. Pero, puesto que los ecosistemas marinos están interconectados, la vida en las aguas profundas y el fondo marino también se ve amenazada por temas como la acidificación.

Corriente superficial cálida
Agua salada y densa cae a las profundidades.

La cinta transportadora oceánica
Es un sistema de corrientes marinas impulsado por variaciones en la densidad del agua o circulación termohalina (temperatura-salinidad). Por el calentamiento global habría flujo de agua de deshielo de Groenlandia, menos densa, que reduciría el flujo descendente en el Atlántico norte.

Corriente profunda fría
Es una mezcla turbulenta de aguas en circulación.

Ciencia del mar

Los científicos marinos trabajan en el mayor laboratorio de investigación de la Tierra: el océano. Ellos estudian el mar y sus interacciones con la atmósfera, la tierra y el fondo oceánico. Gobiernos, universidades y organizaciones ambientalistas usan esa información. La ciencia marina se realiza desde muchas locaciones y utiliza procesos y equipos diversos y en constante evolución.

Cuarto de controles
El cuarto de controles de un vehículo operado a distancia (VOD) está en un barco en el que navegan un piloto, un marinero, científicos y técnicos que controlan el VOD, ubicado cientos de metros debajo del barco.

Muestras de agua
Técnicos marinos embotellan muestras de agua recolectadas a varias profundidades de ubicaciones específicas. Las propiedades del agua son examinadas con un dispositivo de conductividad, temperatura y profundidad (CTP).

Marcar elefantes marinos
Hasta hace poco, los elefantes marinos llevaban una vida misteriosa. Hoy día, los zoólogos marinos marcan cuidadosamente a los animales que descansan. Las etiquetas registran los viajes del animal y son retiradas después de un año.

Liberación de focas
Las focas son cazadas por su piel. Además, su hábitat es el hielo marino, que está disminuyendo en algunas zonas. Los científicos se unen a los ambientalistas para rescatar focas en peligro y liberarlas en aguas más seguras.

Muestras del núcleo
Un geólogo marino utiliza un tubo de muestreo sumergible. Busca valiosa información sobre lo que hay debajo del fondo marino. Algunas claves ayudan a comprender formas de vida marina de hace mucho tiempo.

Investigación actual

Hoy día se llevan a cabo importantes investigaciones para saber cómo responderán los océanos al calentamiento global. También se han emprendido estudios para saber cómo podría usarse el océano para obtener energía renovable y sustentable. Los científicos también estudian algunas criaturas marinas para saber cuál podría ser el impacto de las diversas actividades humanas en el futuro.

1 Nutria marina
Estos inteligentes mamíferos viven en las costas del norte del océano Pacífico. Alguna vez estuvieron a punto de extinguirse y hoy están en la lista de especies amenazadas.

2 Salmón rojo
El estudio de los hábitos alimenticios del salmón rojo incluye su captura y la revisión de los contenidos de su estómago.

3 Fitoplancton
El uso del sulfato de hierro para fomentar su crecimiento reduciría el dióxido de carbono en la atmósfera, pero resulta controvertido.

4 Pez escorpión
Los peces escorpión son una especie tropical invasiva cuyo número es monitoreado en la costa sureste de EUA.

Tecnología submarina

Históricamente, la exploración submarina fue llevada a cabo desde sumergibles tripulados. Éstos usaban instrumentos científicos diseñados para tomar muestras, observar, monitorear y registrar el mundo submarino. Ahora, nuevas tecnologías permiten la operación remota de instrumentos submarinos. También se pueden colocar dispositivos en animales y transmitir imágenes e información vía satélite a los investigadores.

En ambos casos, los instrumentos deben soportar la corrosión, presión y, a menudo, el oscuro medio ambiente.

Las inmersiones profundas de *Alvin*

Desde 1964, *Alvin*, fue el primer sumergible de aguas profundas que pudo llevar a un piloto y dos tripulantes. Puede resistir presiones hasta de 4 300 m de profundidad y está equipado con una variedad de dispositivos para monitorear, registrar y tomar muestras. Su capacidad avanzará cuando complete una serie de mejoras.

Hidrófono

Es un micrófono acústico computarizado. Se usa para grabar sonidos submarinos. Puede usarse con dispositivos de sistema de posicionamiento global (GPS) para rastrear el movimiento de ballenas y otros animales marinos que producen sonido.

VOD *Hércules*

Hércules es un vehículo operado a distancia (VOD) adosado mediante un largo cable de fibra óptica a un barco, donde el piloto opera sus controles. Está equipado con instrumentos científicos, cámaras de video y brazos robóticos. Los motores de *Hércules* le permiten moverse en todas direcciones o permanecer en un solo lugar.

Deslizador submarino VSA

Hay muy diversos estilos de vehículos submarinos autónomos (VSA), diseñados para funcionar de forma independiente. A menudo están impulsados por propulsores de baterías. Los deslizadores son VSA especiales autopropulsados gracias a los cambios de flotación. Tienen forma de torpedo, usan alas y un timón, y se mueven levantándose y luego deslizándose hacia delante. A diferencia de los VSA convencionales, son capaces de recoger una enorme cantidad de información a lo largo de meses y a través de grandes distancias.

Planeta saludable

En el pasado, el océano se consideró un recurso sin fin, y su enorme extensión fue confundida con un tiradero. Los científicos que estudian diversos entornos marinos llaman al mundo a tomar conciencia; la importancia de un océano saludable es cada vez más aceptada.

La íntima relación entre el océano y el planeta Tierra es significativa. El exceso de gases de invernadero y las temperaturas cada vez más elevadas de la atmósfera y el océano son el centro de muchas investigaciones científicas. La tarea de los científicos marinos y de otro tipo es idear medios adecuados para evitar catástrofes ambientales.

Ballena azul
Las gentiles gigantes del océano, las ballenas azules, fueron cazadas casi hasta la extinción. Los científicos informan que su canto es ahora en general de un tono y volumen bajos. Gracias al aumento en su número, sus llamados ahora sólo necesitan cubrir distancias cortas.

ATRAPADOS EN PALANGRES

La pesca con palangres es un método que utiliza anzuelos y líneas de hasta 96 km de largo. Las aves marinas se lanzan sobre las carnadas, quedan atrapadas y terminan ahogándose. Otros animales marinos también quedan atrapados en los palangres y acaban siendo parte de la pesca incidental.

Tiburones atrapados
en palangres.

Foca arpa
Se alimenta de diversos peces y se le culpa de reducir la disponibilidad de pescado para consumo humano. Su piel también es valiosa y por ello son cazadas. Pero una disminución demasiado grande en su número podría perturbar la cadena alimenticia y reducir aún más las especies comerciales de peces.

¿Sabías que...?

El calentamiento global ocasionaría la muerte de aves. Al disminuir, las corrientes ascendentes más importantes, también reduce la cantidad de krill cerca de la superficie. El resultado es la inanición masiva de aves marinas.

Crecimiento de coral

El coral es sensible a cambios mínimos en la calidad del agua, así que su crecimiento saludable es indicativo de un océano saludable. La actividad humana puede acabar fácilmente con él; es preciso conservar corales de larga vida en los arrecifes.

Glosario

algas

plantas marinas simples y primitivas

autónomo

independiente, que no está sujeto a control externo

bacterias

organismos microscópicos unicelulares que se reproducen por división celular y que pueden vivir y multiplicarse sin luz ni oxígeno

bioluminiscencia

proceso biológico dentro de las células para producir luz

calcio

sustancia elemental metálica con abundantes compuestos

calcita

carbonato de calcio cristalizado

convección

movimiento de las moléculas de una sustancia caliente en un fluido que transfiere calor de forma eficiente

corriente descendente

movimiento hacia debajo de un fluido, especialmente en el mar

crustáceos

animales principalmente acuáticos con un esqueleto externo rígido y sin columna vertebral

densidad

relación de la masa de una sustancia con su volumen

dióxido de carbono

gas incoloro que usan las plantas en la fotosíntesis y que se forma al descomponerse la materia orgánica

ecosistemas

sistemas dentro de los cuales los organismos vivos interactúan entre sí y con el ambiente físico que les rodea

especie

grupo cuyos miembros tienen atributos comunes y pueden reproducirse

esquisto

roca sedimentaria de fino grano formada en capas

estuario

ambiente acuático en el que los ríos entran al océano y se mezclan el agua dulce y la salada

evaporación

conversión de un líquido en vapor

filtración

líquido que ha fluido o pasado lentamente a través de un material poroso

fitoplancton

plantas marinas microscópicas, generalmente unicelulares

fotosíntesis

proceso mediante el cual la energía solar es usada, en especial por las plantas, para producir carbohidratos, incluidos azúcares

gas de invernadero

gas atmosférico que absorbe y atrapa calor solar dentro de la atmósfera terrestre

glucosa

forma natural y abundante de azúcar que proporciona energía

hábitat

ambiente físico en el que vive un grupo de organismos

hidrotermal

relacionado con la acción del agua caliente sobre la corteza terrestre

impermeable

descripción de un material que evita que un líquido o un gas lo atraviesen

invasiva

que tiende a expandirse o invadir de forma agresiva

lava

roca caliente y derretida en la superficie terrestre

magma

roca caliente y derretida dentro o bajo la corteza terrestre

nutrientes

sustancias que las plantas o los animales toman para fomentar su crecimiento

ondas expansivas

elevación brusca de la presión y densidad que se desplaza de lugar

orgánico

materia derivada de organismos vivos o basada en el carbón

organismo

sistema vivo como un animal, planta, hongo o microorganismo

pesca incidental

especies marinas atrapadas en anzuelos y redes usados para atrapar a otras especies

placas

estructuras geológicas rocosas de la corteza terrestre, llamadas a menudo placas tectónicas

plancton

pequeños organismos que flotan en gran número cerca de la superficie del océano y que son una fuente de alimento para organismos acuáticos de mayor tamaño

poroso

que tiene una red de agujeros que permite el paso o la absorción de líquidos o gases

predadores

animales que cazan a otros animales para vivir

recurso renovable

cualquier recurso natural que puede ser usado y que se sustituye naturalmente y con suficiente rápidez para seguir usándolo

remoto

sujeto a control externo desde cierta distancia

respiradero

agujero o grieta en la corteza terrestre del que salen lava y gases

sedimento

materia que se asienta en el fondo marino y se endurece con el tiempo para formar roca sedimentaria

sísmico

relacionado con las vibraciones de la Tierra asociadas a los terremotos

subducción

movimiento forzado de una placa tectónica hacia abajo de la placa contigua

tubo de muestreo

taladro hueco que extrae una muestra cilíndrica de material subterráneo

virus

material biológico, más pequeño que las células, que está activo y se multiplica sólo dentro de las células de un organismo huésped

vórtice

corrientes superficiales del océano con movimiento circular

Índice

Créditos y agradecimientos

CLAVE: ai=arriba izquierda; ac=arriba centro; ad=arriba derecha; ci=centro izquierda; abd=abajo derecha; f=fondo

CBT = Corbis; DT = Dreamstime; iS = istockphoto.com; SH = Shutterstock; SP = SeaPics; TF = Topfoto; TPL = photolibrary.com; wiki = Wikipedia

6–7f SP; **9**c iS; **12**abc, ci TPL; **13**abi TPL; **18**cd CBT; ai DT; ci TPL; **19**ai, ad CBT; abc SH; **24**abi, ci, cd, ad CBT; abd TPL; **26**abi TF; **27**cd TPL; ac wiki; **28**abd, ci SH; **29**c CBT; **30–31**f iS